Querido primo

Una carta a mi primo

Duncan Tonatiuh

SCHOLASTIC INC.

A todos los que tratan de crear un nuevo hogar fuera de su lugar
de origen, y un especial agradecimiento a Julia Groton
por abrir esta puerta. —D.T.

Originally published in English by Abrams Books for Young Readers as
Dear Primo: A Letter to My Cousin

Translated by Eida de la Vega

ISBN 978-1-338-19022-9

10 9 8 7 6 5 4 3 2 1   17 18 19 20 21

Printed in the U.S.A.   40
First Scholastic Spanish printing 2017

The art in this book was hand drawn, then colored and collaged digitally.
Book design by Melissa Arnst

¡Órale! Acabo de recibir una carta de mi primo Carlitos. Vivo en Estados Unidos pero él vive en México, de donde es mi familia. ¡Algún día nos encontraremos!

Querido primo Charlie:

¿Cómo estás? ¿También te preguntas cómo será la vida en otra parte? Vivo en una finca rodeada de montañas y árboles. Mi familia cultiva muchas cosas como maíz.

maíz

Tenemos un burro, pollos y un gallo. Cada mañana el gallo canta y canta.

burro

gallo

pollos

Querido primo Carlitos:

Vivo en una ciudad. Desde mi ventana puedo ver un puente y autos pasar zumbando. También puedo ver rascacielos.

Los rascacielos son edificios tan altos que les pueden hacer cosquillas a las nubes. De noche, las luces de la ciudad se parecen a las estrellas del cielo.

Cada mañana voy en mi bicicleta a la escuela.

Paso junto a unos perros y paso junto a un nopal.

nopal

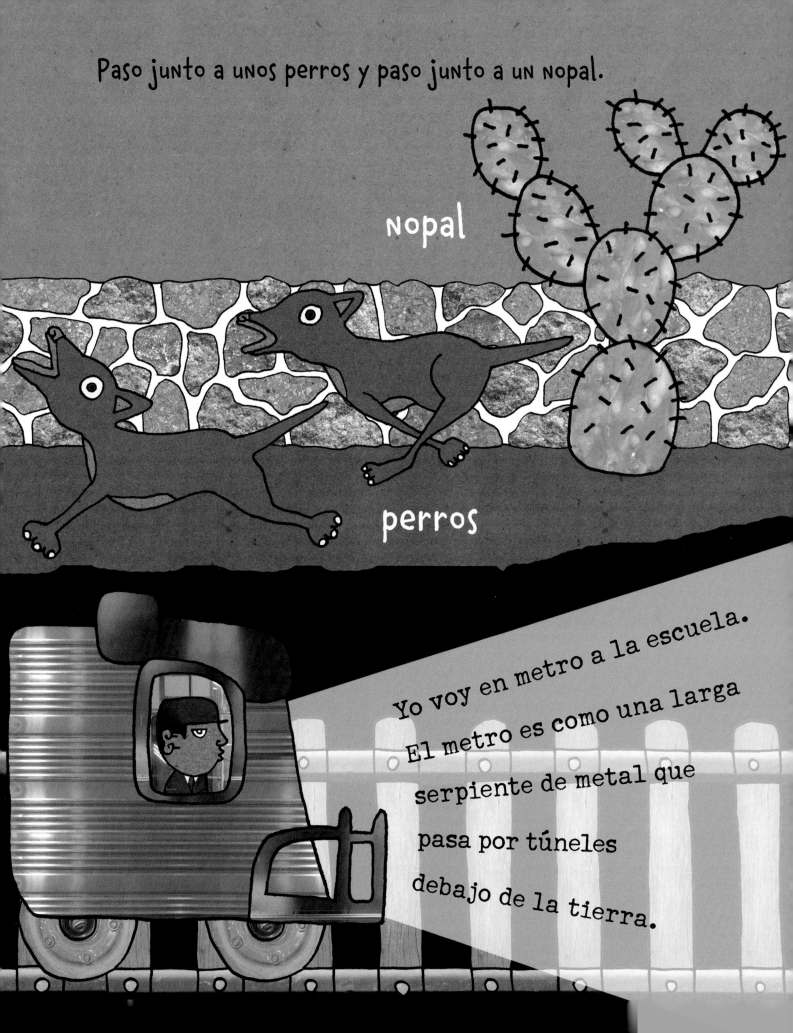

perros

Yo voy en metro a la escuela. El metro es como una larga serpiente de metal que pasa por túneles debajo de la tierra.

En el receso juego fútbol. Mi amigo me pasa la pelota, la pateo y si anoto, grito... ¡gol!

Yo juego baloncesto. Mi amigo driblea la pelota y me la pasa. Yo salto y la lanzo.

La pelota hace ¡*fuiss!* y encesto.

Cuando regreso de la escuela a la casa ayudo a mi mamá a cocinar. Mi comida favorita son las quesadillas. Las hago con queso y tortillas.

En Estados Unidos tenemos muchas comidas diferentes. Mi favorita es la pizza. Me gusta comprar una porción de pizza cuando salgo de la escuela.

Después de terminar mi tarea mi mamá me deja jugar afuera. En México tenemos muchos juegos, como los trompos y las canicas.

trompo

canicas

Mi juego favorito es hacer volar papalotes.
Mis amigos y yo corremos y corremos y con un
vientecito hacemos volar los papalotes bien alto.

papalote

Cuando termino mi tarea juego con mis amigos del edificio. Jugamos frente a la escalera de la entrada...

y en los apartamentos de cada uno
también. Me gusta ir a casa de mis
amigos a jugar videojuegos.

río

Por las tardes, a menudo hace calor. Para refrescarme, me lanzo a un río que está cerca.

En el verano también hace calor en la ciudad. Me gusta mojarme en los hidrantes cuando los bomberos los abren y cierran la cuadra.

Los fines de semana voy con mis padres a un mercado al aire libre en un pueblo cercano. Vendemos maíz y tunas, una fruta espinosa que cultivamos. También compramos comida y otras cosas que necesitamos.

maíz

tunas

Los fines de semana voy con mi mamá al supermercado. Ella lleva una lista —leche, pasta de dientes, jabón— y yo voy tachando los productos a medida que los ponemos en el carrito.

En el pueblo, de vez en cuando, celebran fiestas
que duran dos o tres días. Por la noche hay cohetes
que iluminan el cielo y mariachis que tocan y tocan.

cohetes

mariachis

En mi ciudad a veces tenemos desfiles.
Personas con disfraces o uniformes
desfilan por la calle y todo el mundo
se reúne para verlos.

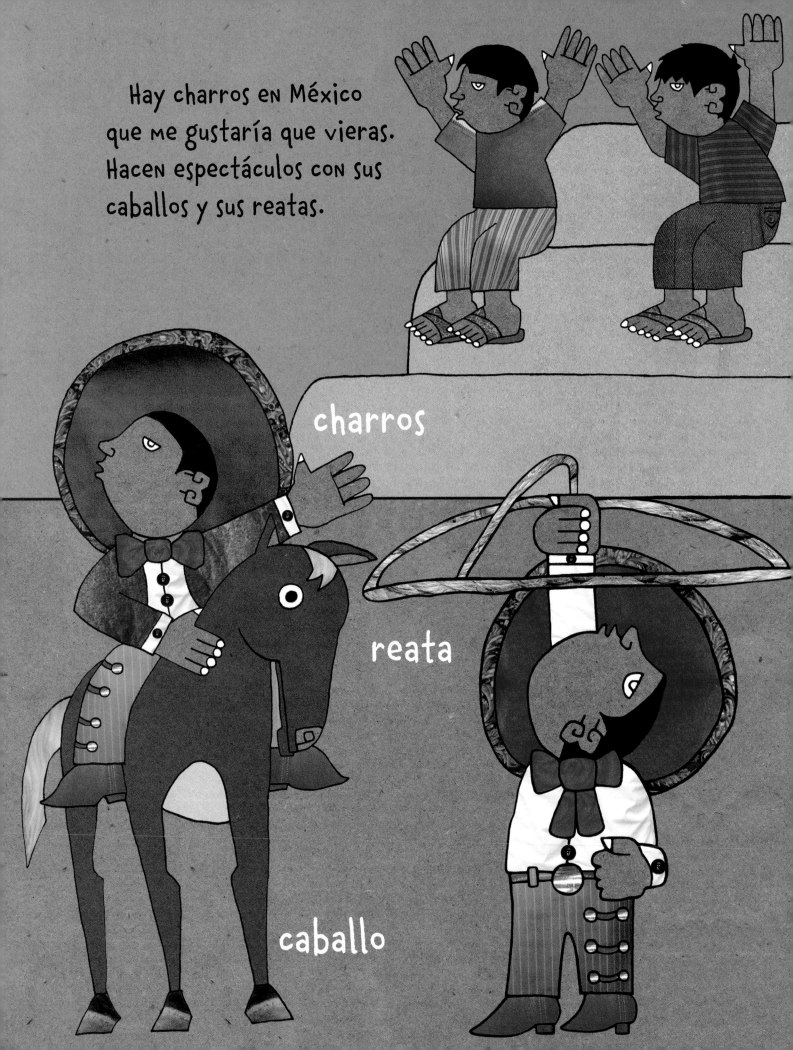

Hay charros en México
que me gustaría que vieras.
Hacen espectáculos con sus
caballos y sus reatas.

charros

reata

caballo

En las calles puedes ver *break-dancers*
dando volteretas y girando sobre sus cabezas.

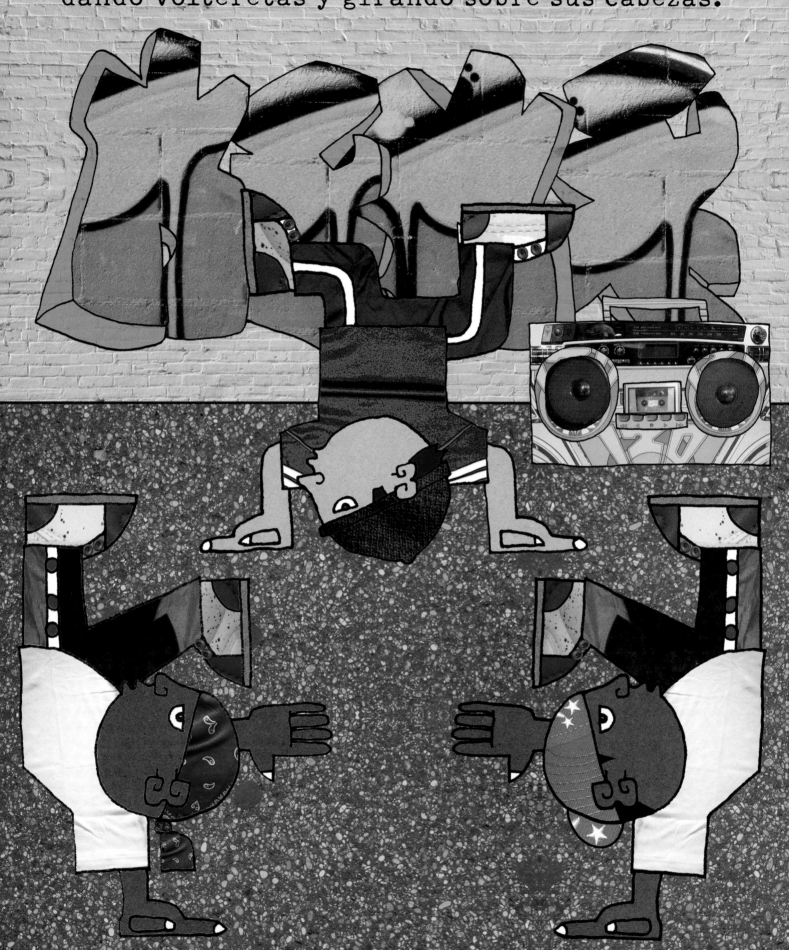

En México tenemos muchas tradiciones,
tales como el Día de los Muertos.

Mi tradición favorita es asistir a unas fiestas en diciembre llamadas Posadas. Al final de cada Posada hay una piñata llena con frutas y dulces. Cuando alguien la rompe, todos nos lanzamos a tomarlos.

piñata

En Estados Unidos también tenemos tradiciones como el Día de Acción de Gracias, cuando comemos pavo...

y el Día de Halloween, cuando nos disfrazamos y salimos a pedir dulces. Pero debo dejar de escribir ahora. Mi mamá me acaba de decir que debo cepillarme los dientes e ir a la cama.

¡Mi primo debe visitarme!

¡Tengo

Nota del autor

Nací en la Ciudad de México y crecí en San Miguel de Allende*, una pequeña ciudad en el centro de México. Mi madre es mexicana y mi padre es estadounidense. Ellos viven en San Miguel.

Cuando cumplí dieciséis años me fui de México para asistir a un internado pequeño y progresista en Williamstown, Massachusetts, llamado Buxton. Yo regresaba a San Miguel durante los veranos. Desde entonces he podido ser parte tanto de la cultura mexicana como de la estadounidense.

Desde que era un adolescente he estado consciente del fenómeno de la emigración mexicana a los Estados Unidos. Muchos de los amigos del barrio con los que crecí en San Miguel se fueron antes de cumplir dieciocho para trabajar en restaurantes o como constructores en Texas y otras partes de los Estados Unidos y, de esa manera, poder enviar dinero a sus padres y hermanos. Sé que eso ocurre con más frecuencia en las comunidades rurales que rodean San Miguel; si uno vive allí es todavía más difícil encontrar trabajo o ganarse la vida decentemente.

Cuando estaba en la universidad, pude ver la otra cara de la experiencia migratoria. Mientras asistía a la Universidad de Parsons viví por un tiempo en Sunset Park, en Brooklyn, donde hay un gran enclave mexicano. Cuando me mudé allí, me sorprendieron los chicos porque lucían igual que yo y que los amigos con los que crecí en México. La gran diferencia era que los chicos de Sunset Park hablaban un perfecto inglés de televisión. Usaban chaquetas acolchadas y botas Timberland para conservar el calor en la nieve. Estaban rodeados por semáforos y concreto. Allá en San Miguel había sol, camisetas y tenis, y los chicos pateaban pelotas en calles de adoquines.

Soy al mismo tiempo mexicano y estadounidense (literalmente: tengo dos pasaportes) y lo que he descubierto es que a pesar de las diferencias visibles entre los dos países —los edificios, la comida, las rutinas diarias, las apariencias físicas, la política— al final del día tenemos más parecidos que diferencias. Gente es gente.

*San Miguel fue nombrada recientemente Patrimonio de la Humanidad por la UNESCO. Allí vive la mayor comunidad de estadounidenses fuera de los Estados Unidos.